Las ovejas de Nico

edebé

© del texto, Elisa Ramón
© de las ilustraciones, Agustí Asensio

© Ed. Cast.: edebé, 2004
Paseo de San Juan Bosco, 62
08017 Barcelona
www.edebe.net

Directora de la colección: Reina Duarte
Diseño de las cubiertas: Francesc Sala

ISBN 84-236-6865-7
Depósito Legal: B. 13.497-2004
Impreso en España
Printed in Spain
EGS - Rosario, 2 - Barcelona

Nico no podía dormir. Nico bostezaba. Se revolvía inquieto entre las sábanas. Cerraba los ojos, primero con suavidad, después con mucha fuerza. A Nico le escocían los ojos de tanto sueño. Pero Nico no podía dormir.

Nico estaba insoportable porque se caía de sueño y no podía dormir.

—¡Cuenta ovejas! —le soltó su hermana, que sí podía dormir y, además, quería hacerlo.

A Nico le pareció muy buena idea.

Se imaginó un prado verde con un bosque a lo lejos, un riachuelo, un montón de ovejas pastando y una cerca de tres listones de madera blanca.

Las ovejas de Nico eran especiales. Todas ellas eran suaves como el algodón y cada una de ellas se diferenciaba de las demás. Una calzaba calcetines rojos. Otra presumía de un lazo en el rabo. La más gorda llevaba un sombrero de paja. La más delgada, un abrigo de tul. La de largas patas lucía zapatos deportivos. Otra, una gran cinta azul en la cabeza. Otra más, un pendiente en la oreja derecha. Otra, gafas de sol. Una de ellas se protegía del sol con una sombrilla multicolor... Y todas, todas eran distintas.

Las ovejas dejaron de pastar y se colocaron en fila india, listas para saltar.

—¡Una! —contó Nico.
La oveja del sombrero de paja, la más gorda,
saltó la cerca.
—¡Uf! —resopló—. Por poco tropiezo.

—¡Dos! —siguió Nico.

La segunda saltó la cerca. Era la oveja de las largas patas que calzaba zapatos deportivos.

—¡Tres! —pensó Nico.

Como estaba muy delgada, la oveja del abrigo de tul saltó sin dificultad.

—¡Cuatro!

La oveja de los calcetines rojos parecía dispuesta a seguir a sus compañeras..., pero a un paso de la cerca frenó en seco.

Las demás ovejas se miraron sorprendidas. Algo grave sucedía cuando una de ellas se detenía. Se arremolinaron alrededor de la oveja de los calcetines rojos.

—¿Qué ocurre? —preguntó la del lazo en el rabo.

—No quiero saltar —respondió muy
decidida la oveja de los calcetines rojos.

Las ovejas se volvieron a mirar, esta vez,
horrorizadas. Nunca ninguna oveja se había
negado a saltar.

Durante unos instantes todas callaron sin
saber qué decir, hasta que por fin habló la
cursi del lazo en el rabo.

—Oveja tonta, salta —ordenó—. Hay que
respetar el turno. Si no saltas tú, no podré
hacerlo yo.

—Ni yo.

—Ni yo.

—Yo tampoco.

Dijeron las ovejas que guardaban la cola para
saltar.

Pero la oveja de los calcetines rojos se negó
en redondo.

—¡Eres una oveja fastidiosa! —exclamó la
del lazo en el rabo, que se moría de ganas de
saltar la cerca.

—Si tú no saltas, Nico no podrá
dormirse —exclamaron sus compañeras del
otro lado de la cerca.

—Eso —añadió la oveja del pendiente en la
oreja derecha—. Y si Nico no
puede dormir,

dejará de contar ovejas... y
entonces, ¿qué será de nosotras?
—casi lloriqueó.

—Si Nico quiere dormir, que cuente conejos o vacas o patos. Yo estoy harta de saltar la cerca. ¡Yo quiero saltar la comba! —dijo la oveja de los calcetines rojos.
Todas las demás ovejas la observaron y pensaron que quizá se había vuelto loca de remate.
—Yo quiero que Nico se duerma —explicó la oveja de los calcetines rojos—. Pero haciendo aquello que nos gusta. ¡Y a mí me gusta saltar la comba! —repitió una vez más.

Las ovejas pensaron durante un largo rato lo
que había dicho su compañera. Quizá la
oveja de los calcetines rojos no era tan tonta
ni estaba tan loca de remate como creían.
Al cabo de un rato, cada una de ellas explicó
lo que más le gustaba.

—A mí me gusta saltar charcos —dijo la de
la cinta en el pelo.

—A mí, brincar sin rumbo fijo —aseguró la del abrigo de tul.

—A mí, cruzar el río saltando de piedra en piedra —reconoció la oveja del sombrero de paja.

—Mi prima de Australia me enseñó a saltar como un canguro —se enorgullecía la de las gafas de sol.

—¡A mí me gusta saltar ovejas! —exclamó la oveja que llevaba zapatos deportivos.

—Yo prefiero saltar la cerca —dijo la cursi del lazo en el rabo.

—Yo siempre deseé saltar como un grillo —confesó la del pendiente en la oreja.

—¡Y yo, saltar a la pata coja! —añadió la oveja que se protegía del sol con una sombrilla multicolor.

Y todas, una detrás de otra, contaron aquello que más les gustaba.

—¡Pues hagámoslo! —exclamó la oveja de los calcetines rojos—. Divirtámonos haciendo dormir a Nico.

Mientras las ovejas llegaban a un acuerdo,
Nico dormía profunda y cómodamente...
desde hacía un buen rato (más o menos a
mitad de cuento).

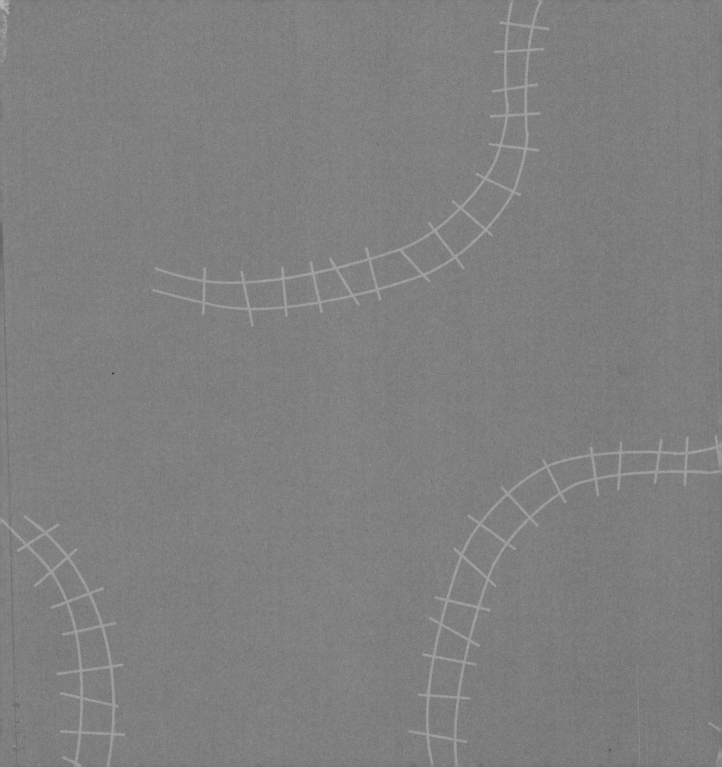